SCIENCE COMIC

Why?

Why? 독 있는 동식물

예림당

Staff

내용을 꼼꼼히 감수해 주신 분

심재한

인하대학교 대학원에서 '동물생태 및 분류'로 박사 학위를 받았습니다. 저서 및 공저로 〈생명을 노래하는 개구리〉 〈꿈꾸는 푸른 생명 거북과 뱀〉 〈한국의 양서·파충류〉 〈한국의 뱀〉 등이 있습니다. 현재 '한국 양서·파충류 생태연구소' 소장으로 재직중입니다.

밑글을 재미있게 써 주신 분

정수은

잡지사에서 기자로 활동하다 현재는 여러 동화 작가의 모임인 '우리누리'에서 어린이의 눈빛으로 생각하는 다양한 책을 쓰고 있습니다. 지은 책으로는 〈머리가 좋아지는 만화 이야기편, 인물편, 학습편〉 〈나라를 지킨 호랑이 장군들〉 〈천 년을 만든 사건 20〉 〈세상 모든 나라에서 찾아낸 문화의 비밀〉 등이 있습니다.

재미있고 알기 쉽게 만화를 그려 주신 분

송회석

게임 캐릭터 디자이너로 활동했으며 현재는 만화가·프리랜스 일러스트레이터로 활동중입니다. 엠파스에 〈열세 살의 꿈〉 〈어린 왕자 시리즈〉를 프리 카툰으로 연재중입니다. 만화를 통해 어린이에게 꿈과 희망을 갖게 해 주고 싶은 소망을 갖고 있습니다.
e-mail: fish901@dreamwiz.com

Why? 독 있는 동식물

2006년 6월30일 1판1쇄 발행
2007년 6월11일 1판10쇄 발행

펴낸이 나성훈
펴낸곳 (주)예림당
등록 제4-161호
주소 서울특별시 강남구 삼성동 153
대표전화 566-1004
팩스 567-9660
http://www.yearim.co.kr
ISBN 978-89-302-0645-7 73400
© 2006 예림당

편집 상무 | 유인화
기획 및 편집 책임 | 백광균
편집 | 연양흠 박효정 박혜란 김주연
사진 | 김창윤
디자인 | 이정애 김수인 이보배
제작 | 정병문 조재현 전계현
마케팅 | 김영기 채청용 정학재 지재훈
          김희석 김혜정 김경봉 정웅
사진자료협조 | 석동일 심재한

Why? 독 있는 동식물을 내면서

산에 갔다가 나무 밑에서 자라는 예쁜 버섯을 본 적이 있나요?
알록달록 색깔도 화려하고 모양도 예쁜 버섯 말이에요. 하지만 함부로
따 와서는 안 돼요. 이런 버섯일수록 독버섯일 가능성이 아주 높거든요.
지구상에는 많은 종류의 독 있는 동식물이 살고 있습니다.
하지만 여러분이 알고 있는 것은 뱀, 복어, 독버섯 등 몇 가지에 불과할 거예요.
그래서 좀더 다양한 종류의 독 있는 동식물을 이 책에 담았습니다.
땅과 바다에 사는 독동물과 독식물을 생생한 사진과 함께 자세한 설명을
덧붙여 여러분이 쉽게 알 수 있도록 꾸몄습니다.
그런데 듣기에도 섬뜩하고 왠지 기분 나쁜 독은 왜 생겨난 걸까요?
여기에는 다 나름의 이유가 있답니다. 독동물은 독을 먹잇감을 구할 때나
혹은 다른 동물들과 싸울 때 주로 공격용으로 쓰지요.
반면 독식물은 독을 자기 자신을 보호하기 위한 방어용으로 쓴답니다.
하지만 독 있는 동식물이라고 해서 모든 것이 사람에게 피해를 주거나
몸에 해로운 것만은 아니에요. 독성을 잘 조절해서 쓰면 오히려
사람의 병을 낫게 하는 약이 되는 경우도 있거든요.
자, 모두 마음의 준비는 단단히 했나요? 그럼 지금부터 독을 잔뜩 품고 있는
동식물을 만나러 떠나 볼까요? 겁내지 말고 독 있는 동식물과 친숙해지는
좋은 기회가 되기를 바랍니다.

Contents

Character

사이몽

천 박사가 만든 로봇.
독 있는 동식물로부터
주인공들을 보호해 주고
오히려 독을 즐겨 먹는다.

꼼지

잠결에 독 있는 동식물을
보러 가겠다고 엄지와
약속하고는 크게 후회한다.
겁도 많고 샘도 많다.

엄지

천 박사의 딸로 예쁘고
똑똑하다. 모험심이 강하며
적극적인 성격이다. 꼼지를
구박하지만 우정이 있다.

천 박사

동물의 독을 치료제로
만드는 연구를 한다.
바로나 박사와의 약속을
지키기 위하여 팔라팔라
섬까지 날아간다.

바루

천 박사 일행을 팔라팔라
섬까지 인도한다. 독동물에
관심이 많아 직접 볼 수
있는 계기를 마련한다.

바로나 박사

식물의 독을 치료제로 만드는
연구를 한다. 팔라팔라 섬의
산 전체에 독식물을 심어
연구할 정도로 열정적이다.

바로나 박사의 편지

그럼 우리 10년 후에 팔라팔라 섬에서 만나 각자의 연구에 대해 이야기하도록 하세.

좋아, 10년 후에 보자고.

참, 아빠가 이 편지를 전하라고 하셨어요.

쏘옥

편지를?

나의 벗, 천 박사에게!
그 동안 잘 있었나? 정말 오랜만이지? 벌써 우리가 약속한 10년의 세월이 다 지났군. 그래서 팔라팔라 섬으로 오라고 바루를 보내네. 쉽게 찾아올 수 있는 곳이 아니라 바루가 길 안내를 할걸세.

그런데 한 가지 부탁이 있네. 이곳까지 오는 도중에 수고 스럽겠지만 독 동물에 대해서 바루에게 좀 알려 주었으면 하네. 그런데 자네를 만난다니까 동물의 독에 대해서도 알고 싶다더군.
바루는 그 동안 나와 함께 식물의 독을 연구해 왔네. 그런데 자네를 내 아들이라서가 아니라 잘 가르치면 독 있는 동식물 치료제 연구에 큰 몫을 할걸세.

아 참, 자네 딸 엄지도 많이 컸겠지? 이번에 함께 오게나.
내가 공들여 가꾼 섬을 보여 주고 싶구면 하루빨리 만나고 싶네.

— 팔라팔라 섬에서 자네를 기다리는 바루나

10

*팔라팔라 섬: 이야기를 끌어가기 위한 가상의 섬

춤을 추는 코브라

음, 어디서
야릇한 냄새가
나는데….

헉!

코브라는 놀라거나 화가 나면 몸의 앞부분을 세우고
목 뒤에 늘어진 피부와 갈비뼈를 옆으로 펼쳐
우산 모양으로 부풀린다.

으아악

앗, 위험해!
꼼지야, 움직이지
말고 가만히
있어.

감히 어딜….

넌 또
뭐냐?

인도코브라

몸길이 1.2∼1.7미터.
인도의 낮은 지대 숲이나
민가 주변에 산다. 주로
밤에 나와 생쥐, 도마뱀
등을 잡아먹는다.

감히 겁도 없이 내 앞을 가로 막다니!

엄마야~! 사이몽, 어떻게 좀 해 봐!

혀만 삐쭉 내밀면 다냐?

이리 오너라! 사이몽이 잘 처리할 거야.

나한테 버릇없이 혀를 삐쭉 내밀었어. 에잇!

캑캑. 살려 주세요, 형님. 잘못했어요.

코브라의 위턱에는 긴 독니가 있는데, 이빨에 홈이 나 있어 먹이를 물면 먹이의 몸 속으로 독이 흘러 들어가게 돼.

코브라의 위턱 양옆에는 독을 만들어 내는 독샘이 있다.

독샘

어이쿠, 내 눈!

코브라 중에는 위협을 느끼면 적을 향해 독을 발사하는 종도 있다.

스피팅코브라

몸길이 약 1미터. 2미터 이상 떨어져 있는 적의 눈에 정확히 독을 쏠 수 있다. 이 독을 맞으면 매우 고통스럽고 때로는 눈이 멀 수도 있다. 아프리카에 산다.

또한 세계에서 가장 큰 독뱀은 킹코브라란다.

킹코브라

몸길이 3~5.5미터. 강력한 독을 만들어 내며 쥐, 도마뱀, 다른 뱀 종류를 잡아 먹는다. 인도, 동남아시아 일대에 산다.

킹코브라의 독은 코끼리도 쓰러뜨릴 정도로 매우 강하대.

깍!

헉! 진짜 엄청난 독뱀이구나.

당

사막의 무법자 전갈

앗, 모래 폭풍이다.
박사님, 어떡하죠?

휘이이잉

왜 이렇게 고생을
하면서 가요. 비행정
타고 가면 될 것을…

다 너희를
위해서 현장
학습하는
거야.

콜록
콜록

앗, 아빠! 저 앞에
있던 모래언덕이
사라졌어요.

모래 폭풍이 모래
언덕의 위치를 바꿔
놓았나 보구나.

모래언덕의 모래들은 바람이
'휘잉' 불면 위로 올라갔다가
다시 떨어지며 쌓이게 돼.
이 때 위치가 바뀌는 거란다.

나 여기로
이사 왔지롱.

전갈의 종류

전갈류는 사막에서부터 한대지방에 이르기까지 극지방을 제외한 전 세계에 1,200종 이상이 살고 있어. 대부분의 전갈은 독을 가지고 있지만 사람에게 해를 끼칠 만한 전갈은 20여 종에 불과하지.

부투스우스트랄리스

사막전갈

얼룩무늬전갈

몸길이 6~20센티미터. 전갈은 몸이 갑옷처럼 딱딱한 껍데기로 싸여 있으며, 독침이 있지만 주로 집게발을 사용하여 먹이를 죽인다. 독침은 꼬리 끝에 달려 있는데 몸을 보호하거나 위급할 때 사용한다. 활동은 밤에 하며 눈이 나쁘기 때문에 촉각을 이용하여 거미, 파리, 바퀴, 메뚜기, 개미, 지네 등을 잡아먹는다.

전갈이나 독뱀에게 물렸을 경우 어떻게 해야 할까요?

전갈에게 물렸을 때는 물린 부위만 따끔거리는 통증을 느끼게 되는데 시간이 지남에 따라 차츰 얼얼한 마비 증상이 나타납니다. 이 때 응급처치로 물린 자리를 비눗물이나 알코올로 씻어 낸 후 얼음 찜질을 하고 가까운 병원에 찾아가 치료를 받아야 합니다. 독뱀에게 물렸을 경우에는 물린 사람을 일단 안전한 곳으로 옮긴 다음, 즉시 입에 상처가 나지 않은 사람이 입으로 독을 빨아내어 독을 최대한 제거합니다. 물린 자리를 움직이지 않게 고정하고 심장보다 아래쪽에 두며 물린 자리에서 10센티미터 정도 심장 쪽에 가까운 부위를 넓은 끈이나 고무줄, 손수건 등으로 묶어서 독이 퍼지는 것을 지연시켜야 합니다. 얼음 찜질을 하면 독이 퍼지는 것을 늦출 수 있지만 빨리 병원에 가서 해독제를 맞아야 합니다.

이리 와!

꺄~악!

머리에 뿔 달린 사막살모사

하하! 페넥여우는 낮에는 뜨거운 햇볕을 피해 굴속에서 지내다가 밤이 되면 저렇게 먹이를 찾아 돌아다니곤 한단다.

페넥여우 몸길이 36~41센티미터, 귀 길이 15센티미터 이상. 밤에 나와 쥐, 도마뱀 등을 잡아먹는다. 사하라사막, 시나이반도 등지에서 산다.

어, 페넥여우가 갑자기 멈칫하는데요?

아니?!

왜 그래요, 아빠?

쯧쯧, 페넥여우가 상대를 잘못 만난 것 같구나. 사막살모사야.

와, 가까이서 보니까 정말 무지무지하게 생겼다.

33

살모사의 독니

살모사와 코브라 독니의 차이

위턱 좌우에 1개씩 있는 독니는 독샘과 연결되어 있어 먹잇감을 물면 독액이 분비됩니다. 그런데 살모사나 방울뱀의 독니는 빨대처럼 관을 통해 독이 나와 '관아' 라 하고, 코브라나 바다뱀은 이빨에 난 홈으로 독이 나와 '구아' 라 합니다.
또한 살모사나 방울뱀의 독은 출혈독으로 천천히 번지면서 모세혈관과 근육을 파괴하는 데 반해, 코브라나 바다뱀의 독은 신경독으로 빠른 속도로 번지면서 감각신경뿐 아니라 중추신경을 마비시켜 심장과 호흡을 정지시킵니다.

아프리카에는 사막살모사 외에도 살모사 종류가 많단다.

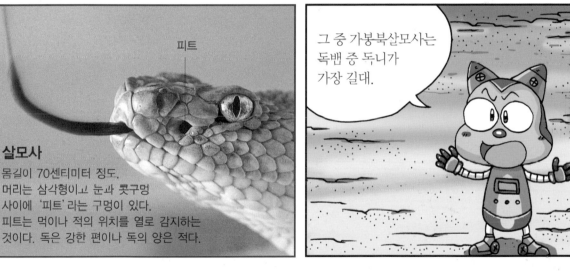

살모사

몸길이 70센티미터 징도.
머리는 삼각형이고 눈과 콧구멍 사이에 '피트'라는 구멍이 있다.
피트는 먹이나 적의 위치를 열로 감지하는 것이다. 독은 강한 편이나 독의 양은 적다.

그 중 가봉북살모사는 독뱀 중 독니가 가장 길대.

헉, 독니가 거의 5센티미터나 된다고?

5cm

이 독니는 옷이나 구두도 뚫을 정도로 날카롭다.

가봉북살모사 몸길이 1.2~2미터. 코 위에 2개의 뿔 모양 돌기가 있으며, 몸의 무늬 때문에 위장술이 뛰어나다.

또 가시북살모사가 무척 많아. 그러다 보니 사람이 모르고 가까이 갔다가 물려 죽는 경우가 종종 생기지.

크큭, 사람을 무는 게 내 취미야.

그리고 아프리카에는 뱀 중에서 가장 빠른 검은맘바도 살고 있어.

앗, 방금 뭐가 후딱 지나갔는데….

사사삭

나야 나. 난 달리는 말만큼 빠르다고.

검은맘바 몸길이 3~4미터. 몸 빛깔은 이름과는 달리 검은색이 아니고 회색을 띤다. 입 속만 검은색이다. 일반 속도는 시속 8킬로미터, 단거리는 시속 11킬로미터로 아주 빠르게 기어간다.

봤지? 나보다 빠른 뱀 있으면 나와 보라고 해.

자, 모두 그만 자자. 날이 밝으면 아메리카 대륙으로 가야 하니까.

네

방울뱀이 지나간 자국이나 허물 등을 찾고 있어.

으악~, 방울 뱀이요?

에구, 용감한 카우보이는 어디로 갔나!

누가 내 낮잠을 방해하는 거야?

박사님, 저기요.

방울뱀 몸길이 2미터 정도. 밤에 나와 생쥐, 도마뱀 등을 잡아먹는다. 북아메리카 서부와 멕시코 북부 사막에 산다.

뭐야, 사람들이 여기 왜 왔어!

완전 겁쟁이군. 쯧쯧!

쌩

방울뱀의 꼬리

방울뱀은 이동할 때 다른 뱀들과 달리 옆으로 움직인다.
몸을 S자로 굽히고 머리와 꼬리를 땅에 붙여 몸을 옆으로
내던진 다음 머리와 꼬리를 몸통 쪽으로 끌어당긴다.

방울뱀 중에서 가장 몸집이 큰 것은 다이아몬드방울뱀이야.

다이아몬드방울뱀 몸길이 1.8~2.4미터. 아메리카 특산으로 60여 종이 있으며, 건조한 숲이나 사막, 습지에 산다.

이 뱀은 치명적인 독을 갖고 있지는 않지만 한 번에 많은 양을 내뿜어서 먹잇감을 기절시키지.

후유, 몸집이 정말 어마어마 하네요.

앗, 박사님, 저기 아메리카독도마뱀이 있어요.

쥐가 눈치 못 채게 슬금슬금 다가가고 있구나.

슬금

슬금

아메리카독도마뱀은 아래턱에 독샘이 있어. 하지만 위급할 때가 아니면 독을 사용하지 않아. 그러나 한 번 사용할 때는 독이 충분히 주입될 때까지 한참 동안 놓지 않는 습성이 있단다.

캑

으, 난 원래 쥐를 싫어하지만 그래도 좀 안됐다.

엄지야, 내가 아메리카독도마뱀을 혼내 줄까?

뭐야, 왜 나를 혼내겠다는 거야. 너도 배고파 봐. 이것저것 가리게 생겼나!

지접 지접

아메리카독도마뱀 몸길이 50센티미터 정도. 밤에 활동하며 먹이가 부족할 때는 꼬리에 저장해 둔 지방으로 살아간다. 멕시코 서북부, 미국 남서부의 사막 지대에 산다.

아메리카독도마뱀처럼 독을 가진 도마뱀은 한 종류가 더 있어. 그건 멕시코에 사는 멕시코독도마뱀이야.

멕시코독도마뱀 몸길이 1미터 정도. 아메리카독도마뱀보다 꼬리가 가늘고 길다. 멕시코의 태평양 연안에 사는데 건조한 지역의 산비탈, 삼림 지대의 황무지 등지에서 볼 수 있다.

독도마뱀은 그 수가 점점 줄어들어 현재는 보호받는 동물이란다.

것 봐. 그러니까 너희도 나를 보호 하란 말야.

자, 그럼 또다른 곳으로 이동해 볼까?

네

슈우웅~

'녹색의 지옥' 아마존이야.

와, 여기는 온통 밀림이네!

뭐? 지, 지옥?

아마존은 빽빽한 밀림과 희귀한 동식물이 많이 살고 있고, 매년 강이 넘치고 엄청난 폭우 등으로 지옥이라는 별명을 얻게 되었단다.

아마존 강 유역에는 한 해에 평균 2천 밀리미터 이상의 비가 내려. 게다가 우기 때는 강이 넘쳐 수십 킬로미터가 잠기기도 하지.

아마존 남아메리카의 9개 나라에 걸쳐 있는 세계에서 가장 큰 강 '아마존 강'을 말한다. 페루의 안데스 산맥에서 시작하여 브라질 북부를 지나 대서양으로 흘러드는데 그 길이가 무려 6,200킬로미터에 달한다.

자, 여기서 내려 잠깐 둘러보고 가자.

안 돼요! 비가 와서 잠기면 어떡해요.

어이구, 뭐가 걱정이냐? 다시 비행정에 오르면 되잖아.

으악~, 저 괴상한 녀석은 뭐냐?

안경카이만 몸길이 2미터. 눈 주변에 테가 있어서 마치 안경을 쓴 것처럼 보여 안경카이만이란 이름이 붙었다. 지금은 멸종 위기에 처해 있다.

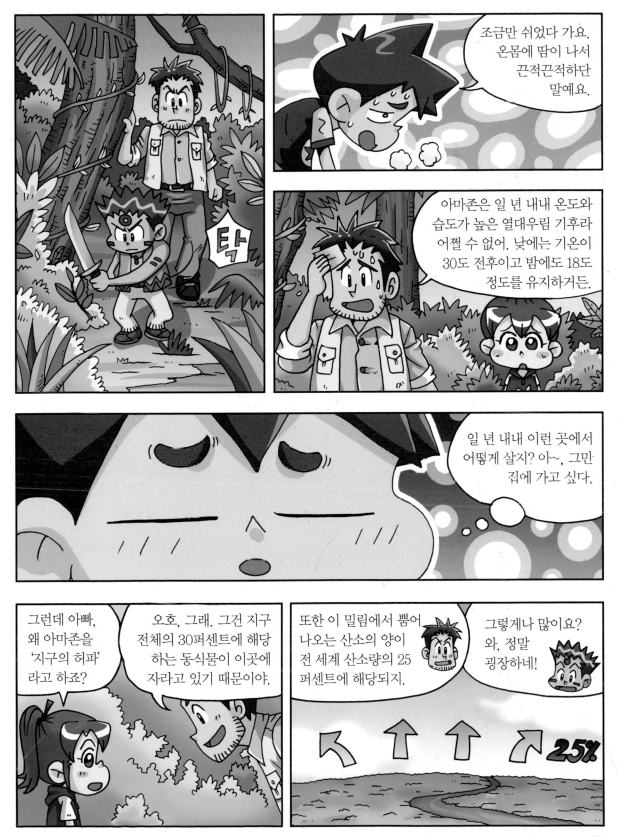

타란툴라 다리를 포함한 몸길이 25센티미터. 밤에 활동하며 먹잇감을 물어 독으로 마비시킨 다음 체액을 빨아먹고 더듬이 다리로 잘라 먹는다.

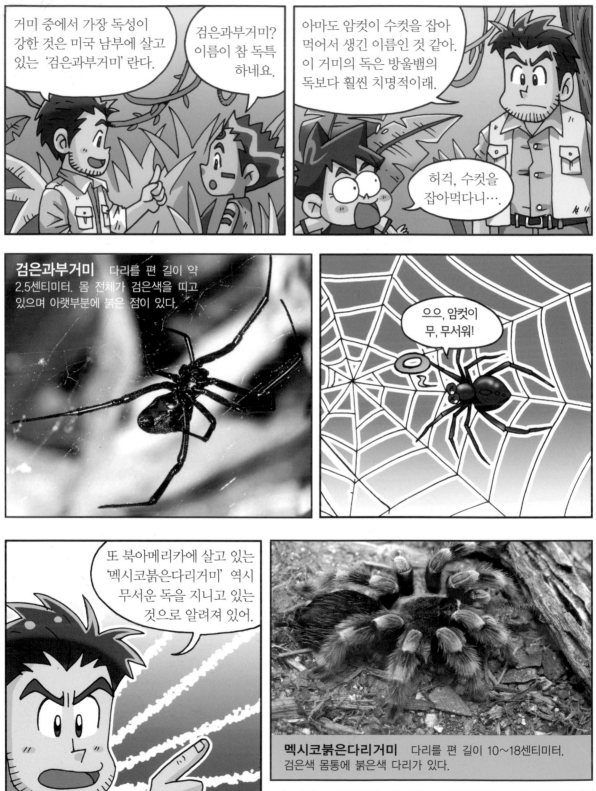

거미 중에서 가장 독성이 강한 것은 미국 남부에 살고 있는 '검은과부거미'란다.

검은과부거미? 이름이 참 독특하네요.

아마도 암컷이 수컷을 잡아 먹어서 생긴 이름인 것 같아. 이 거미의 독은 방울뱀의 독보다 훨씬 치명적이래.

허걱, 수컷을 잡아먹다니….

검은과부거미 다리를 편 길이 약 2.5센티미터. 몸 전체가 검은색을 띠고 있으며 아랫부분에 붉은 점이 있다.

으, 암컷이 무, 무서워!

또 북아메리카에 살고 있는 '멕시코붉은다리거미' 역시 무서운 독을 지니고 있는 것으로 알려져 있어.

멕시코붉은다리거미 다리를 편 길이 10~18센티미터. 검은색 몸통에 붉은색 다리가 있다.

이 외에도 이끼거미, 아트락스, 애어리염낭거미, 떠돌이거미, 실거미도 강한 독을 가지고 있다.

화려한 화살촉독개구리

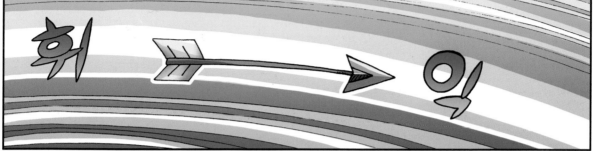

혁,
뭐야?

파각

인디오들이 우리를
침입자로 생각한
모양이에요.

아빠,
무서워!

괜찮을
거야.
겁내지
마라.

Ⅹⓞ◍△
ⅡⒹ☚ⓐ↗◥

쓰윽

아마존 인디오들
이구나.

분위기가
바루 오빠랑
비슷하네.

53

54

이 개구리는 피부에서 독액을 분비 하고, 대부분 화려한 색과 무늬를 띠고 있지.

개굴♥

으, 쪼끄마한 게 독 있다고 까부네…. 언젠가 내 너를 꼭 삼키고 말 테다.

나, 독 있어. 가까이 왔다가는 무사하지 못할걸.

화살촉독개구리 중에서 가장 무서운 독을 가진 것은 '필로바테스 테리빌리스' 라는 개구리래.

근데 화살촉독개구리의 색깔이 화려한 이유가 뭔지 아니? 피부에 고약 한 독이 있다는 것을 적에게 경고하기 위해서야.

저렇게 예쁜 개구리가 무서운 독을 품고 있다니….

나비도, 개구리도, 엄지도! 음~ 예쁜 것 들은 조심해야 돼.

화살촉독개구리 몸길이 2.5~4센티미터. 현재 100종이 넘고 중앙아메리카, 남아메리카의 열대우림에 산다. 피부에서 독액을 분비해 작은 곤충들을 잡아먹는다. 독성이 강한 것은 사람이 만지기만 해도 치명적이며 천적인 뱀도 마비될 정도다.

딸기화살촉독개구리　　　　　　코발트화살촉독개구리　　　　　　삼색화살촉독개구리

으, 개구리들이 갑자기 무서워지네.

어, 저건 뭐지?

독곤충을 잡아 먹는 황금화살촉독개구리야.

뭐? 독곤충을 먹는다고?

역시 독곤충이 제일 맛있다니까.

독곤충의 독을 맛있는 주스로 생각하는 거 아닐까?

글쎄. 어쨌거나 화살촉독개구리의 독은 강해서 인디오들이 여러 가지로 이용했어.

우리의 독은 다 무서워 하는데 인간들은 오히려 이용하다니… 역시 가장 무서운 건 인간들이야.

말미잘과 흰동가리

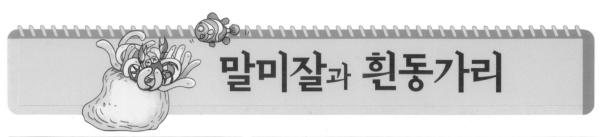

옷 챙겨 입는 게 익숙치 않아서 그런지 너무 갑갑해요.

참아라. 바닷속에서 자유롭게 숨을 쉬려면 꼭 입어야 해. 특별히 만든 잠수복이야.

원 녀석. 너 때문에 오히려 상어가 놀래 도망간다.

으악~, 상어다!

크크, 어쩜 그리 겁이 많냐?

쳇, 무서운 걸 어떡하냐?

말미잘 몸길이 2~6센티미터. 녹색 혹은 붉은빛을 띠며 흰 점 무늬가 있다. 입 주위에 많이 있는 독 있는 촉수로 사냥을 한다.

말미잘과 흰동가리

말미잘이 게를 입에 넣고 있어요.

꿀꺽

말미잘은 촉수에서 독침을 쏘아 게를 움직이지 못하게 한 후 촉수로 휘감아 통째로 삼켜 버린다.

먹이를 삼킨 말미잘은 항문이 없기 때문에 소화시키고 남은 씨꺼기는 다시 입으로 뱉어 낸단다.

크윽~ 잘 먹었다.

뿡

똥오줌을 입으로 뱉는다고? 으~, 더러워!

그래도 너보단 깨끗할 것 같은데?

이렇게 말미잘과 흰동가리는 공생을 하는 거야.

공생이란 무엇일까요?

흰동가리가 말미잘에게 먹잇감을 데려다 주고, 말미잘은 흰동가리를 적으로부터 보호해 주는 것처럼 종류가 다른 두 생물이 한 곳에서 서로 이익을 주고받으며 생활하는 것을 공생이라 합니다. 공생하는 동물로는 악어와 악어새, 개미와 진딧물, 상어와 빨판상어, 해삼과 숨이고기 등이 있습니다.

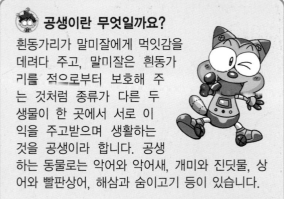

공처럼 몸을 부풀리는 복어

복어 한 마리의 독은 어른 13명의 목숨을 앗아 갈 정도로 강력하대.

= 13명

복어는 몸 표면이 매끄러운 것, 뾰족한 가시 비늘을 가진 것 등 전 세계에 120여 종이 있다. 새우, 게, 작은 물고기 등을 잡아먹는다.

야, 거북복! 오랫만이다.

스르륵

어? 이 복어는 몸이 굉장히 딱딱하네요.

거북복은 갑옷처럼 딱딱한 비늘로 덮여 있어서 그래.

툭툭

또한 다른 복어들과 달리 피부 표면에도 독이 있어. 위협을 느끼면 피부로 독을 내뿜는 거지.

우씨, 왜 자꾸 건드리고 난리야.

네가 참아. 쟤 원래 예의가 없어.

꼼지야, 이리 와 봐. 이건 가시복이야. 몸이 날카로운 가시로 덮여 있어.

가시복 몸길이가 짧고 폭이 넓다. 눈이 크고 이빨이 부리처럼 생겼다.

보통 때는 가시가 납작하게 누워 있지만 적이 다가오면 몸을 부풀려 가시를 빳빳하게 세우지.

보통 때

위급할 때

아빠, 독이 있는데 복어를 요리해 먹어요?

독이 있어도 복어 요리는 맛이 일품이야. 한 번 먹어 본 사람은 그 맛을 못 잊어서 꼭 다시 먹게 된대. 특히 일본에서 인기가 많지.

음~, 쫄깃 쫄깃해.

역시 최고야.

헉, 우리를 요리해서 먹는다고? 빨리 도망가자.

하하, 요녀석들! 어떤 게 제일 맛있을까?

아까도 얘기했지만 복어 요리를 먹으려면 각별히 주의해야 해. 복어의 독은 끓여도 없어지지 않거두.

복어의 독은 계절에 따라 독성이 변하는데 겨울부터 봄에 걸친 산란기에 많다. 일반적으로 난소와 간에 독이 가장 많고, 그 다음으로 피부와 장 등에 있다.

피부

간

난소

장

맞아요, 저도 복어 요리를 잘못 먹고 사람이 죽었다는 얘기를 들은 적이 있어요.

죽여 주게 맛있는 복어집

윽, 숨을 쉴 수가 없, 없….

그렇게나 맛있어요? 헤헤.

박사님, 제가 독 있는 물고기들을 불러 모을까요?

쏠배감펭, 통쏠치, 쑤기미, 쏠종개 나와!

독가시가 있는 물고기들

쏴읏

오호! 사이몽, 대단한데. 물론 내가 설계하기는 했지만…

와, 화려하다.

엄지야, 물러서! 독가시가 있어.

독가시?

으아악

쏠배감펭의 등지느러미와 가슴지느러미에는 독가시가 있단다.

야, 너! 저기 저쪽으로 가서 서.

STOP

부를 때는 언제고 괜히 뭐라 그래. 에이 기분 나빠!

난 공격받을 때만 독가시를 사용해. 평상시나 먹이 잡을 때는 독가시를 사용하지 않아.

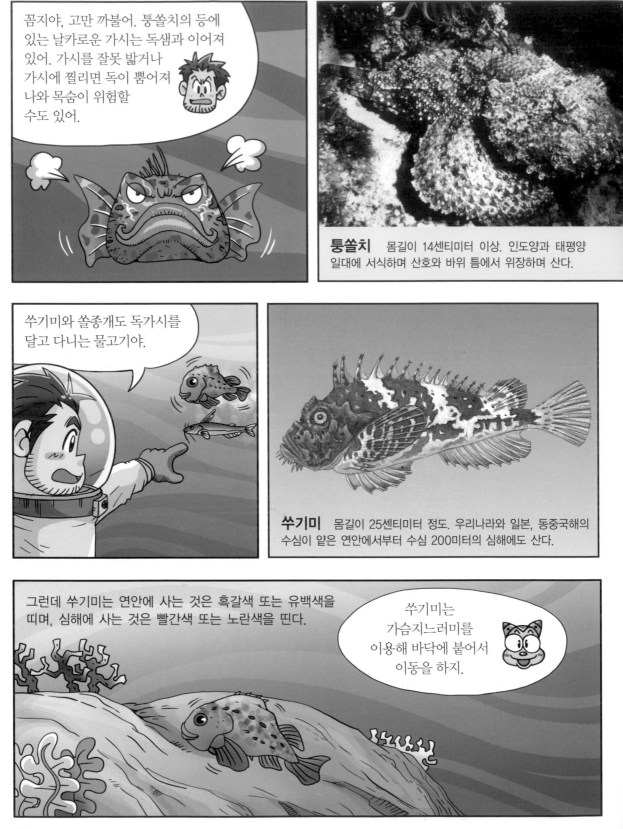

꼼지야, 고만 까불어. 퉁쏠치의 등에 있는 날카로운 가시는 독샘과 이어져 있어. 가시를 잘못 밟거나 가시에 찔리면 독이 뿜어져 나와 목숨이 위험할 수도 있어.

퉁쏠치 몸길이 14센티미터 이상. 인도양과 태평양 일대에 서식하며 산호와 바위 틈에서 위장하며 산다.

쑤기미와 쏠종개도 독가시를 달고 다니는 물고기야.

쑤기미 몸길이 25센티미터 정도. 우리나라와 일본, 동중국해의 수심이 얕은 연안에서부터 수심 200미터의 심해에도 산다.

그런데 쑤기미는 연안에 사는 것은 흑갈색 또는 유백색을 띠며, 심해에 사는 것은 빨간색 또는 노란색을 띤다.

쑤기미는 가슴지느러미를 이용해 바닥에 붙어서 이동을 하지.

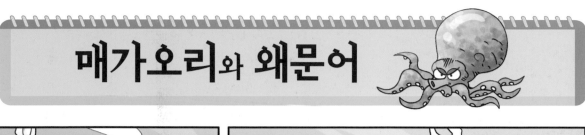

애들아, 박사님, 매가오리예요!

몸집이 아주 크네!

이름도 특이하고.

'매가오리'는 머리가 매와 비슷하다 해서 붙여진 이름이야.

매가오리 몸길이 1.8미터 정도. 태평양, 대서양에 산다. 등 쪽에는 톱니처럼 생긴 긴 가시가 있고, 긴 회초리 모양의 꼬리에 독가시가 나 있다.

에잇, 너도 나를 화나게 했어!

캑캑, 나만 무서운 무기가 있는 줄 알았는데….

왜문어는 먹이나 적이 나타나면 다리로 휘감거나 독을 내뿜어.

끝까지 한 번 해 볼 테야?

퍼

퍼

퍽

왜문어 몸길이 최대 1미터 정도. 밤에 나와 조개, 새우 등을 잡아먹는다. 대서양 연안, 인도양, 태평양에 서식한다.

청자고둥과 바다뱀

청자고둥 크기 가로 35밀리미터, 높이 70밀리미터 정도. 껍질은 두껍고 단단하며 불규칙한 무늬가 있다. 밤에 나와 연체동물, 지렁이류를 잡아먹는다.

청자고둥의 독침은 종에 따라 다르지만 큰 것은 1~2센티미터나 된대.

허걱!

너 얼른 사이몽한테 고맙다고 해.

그래, 구해 줘서 고맙다. 쳇!

쟤는 왜 구해 줘도 툴툴거리지? 진짜 연구 대상이야.

마음 넓은 네가 이해해라. 달리 투덜이겠니?

투덜 투덜 투덜 투덜

바다뱀 몸길이 1~1.5미터. 코브라류에서 진화된 것으로 추측된다. 바다에 적응하기 위해서 꼬리는 납작한 노처럼 생겼으며, 콧구멍은 물이 들어가지 않도록 밸브 형태를 갖췄다. 바다와 육지에서 생활한다.

저는 바다뱀에게 물려 죽은 사람을 본 적이 있어요.

바닷가에 사니까 그랬겠구나. 바다뱀의 독은 코브라의 독보다도 강하다고 알려져 있어. 사람이 물리면 근육이 마비되고 호흡이 정지돼 몇 시간 안에 죽기도 한대. 물고기는 수십 초 안에 죽기도 하고.

으, 소름 끼쳐!

또 어떤 바다뱀은 머리가 작고 뱀장어만 먹는대. 코브라의 독니와 비슷한 송곳니를 이용해 3~10분 만에 뱀장어를 기절시키고 머리부터 서서히 통째로 삼키는 거지.

이런 바다뱀에게도 천적이 있다. 타이거상어와 독수리, 물수리 등이다.

역시 뛰는 놈 위에 나는 놈 있다더니 딱 맞는 말이네.

알들이 안전하게 잘 자라야 할 텐데….

하루에도 몇 번씩 나갔다 오려면 힘들겠구나.

그러게 말야. 언제쯤 나도 바닷속에서 모든 걸 해결할 수 있을까!

그래도 난 바다뱀이 없는 곳에서 살고 싶어.

근데 바다뱀은 주로 어디에서 살아요?

바다뱀은 오스트레일리아의 북부와 동남아시아, 일본, 태평양, 인도양, 아프리카 등지에 분포한다. 어떤 종들은 강 하구의 갯벌, 호수에서도 산다.

흔하지는 않지만 따뜻한 난류가 우리나라로 올라올 때, 제주도 남쪽 연안에 바다뱀, 먹대가리바다뱀이 나타날 때가 있어.

해파리 강장동물로 몸이 말랑말랑한 한천질로 되어 있다. 물에 떠다니며 플랑크톤이나 어린 물고기를 잡아먹는다.

＊자세포: 강장동물의 표피 속에 들어 있는 실 모양으로 된 특별한 기관을 내쏘는 세포

바로나 박사와 만나다

재, 지금 뭐 하는 거지?

글쎄.

꼼지야, 너 나뭇가지랑 씨름하니?

엥? 난 사이몽이 장난치는 줄 알고…. 아, 창피해!

아빠, 나비가 참 많아요.

앗, 나비다.

저건 녹색 비단나비란다.

독나비 인가요?

저 나비의 애벌레가 독식물의 잎을 갉아먹고 산대.

그래서 독식물이 많아 녹색비단나비도 많은 거란다.

녹색비단나비 다 자란 나비는 꽃의 꿀을 먹지만, 애벌레는 특이하게도 대부분의 생물에게 독이 되는 식물의 잎을 먹는다. 동남아시아와 오스트레일리아 북부에서 볼 수 있다.

치료제로 쓰이는 식물의 독

허걱! 애벌레가 독식물을 먹다니….

그건 마전이야.

나도 먹을 수 있어.

마전도 사람이 먹으면 죽을 수 있는 유독식물이야.

유독식물은 사람이나 가축이 먹었을 때 해를 끼치는 식물을 말해.

여기에 독이 있다니….

유독식물의 독성분은 다양하지만 '알칼로이드' 성분이 제일 많아. 마전은 씨 안에 독성분이 있지.

마전 씨

마전
높이 10~13미터. 전 세계에 500여 종이 있는데, 동남아시아에서 자라는 것 중 독성 알칼로이드인 스트리크닌과 브루신을 가지고 있는 것이 있다. 쥐약을 만드는 데 사용한다.

애들아, 이것은 '바곳'이란다.

바곳도 매우 독성이 강하지만 여러 치료제로 쓰이지.

바곳 높이 1미터 정도. 덩이뿌리에 알칼로이드인 아코니틴이 많이 들어 있다. 아코니틴은 독성이 매우 강해서 적은 양으로도 사람이 죽을 수 있다.

이 덩이뿌리에 붙어 있는 곁뿌리를 '부자'라고 해.

부자요? 많이 들어 본 것 같은데….

부자는 독성이 강하기 때문에 반드시 독을 순화시키고 계지, 복령, 감초 등의 한약재와 함께 써야 한다. 쇼크로 위험한 상태에 빠진 사람에게 효과가 좋다.

애들아, 이리 와 봐. '맨드리고라'야.

네? 뭘 만들라고요?

휘릭

하하, 이 식물의 이름이 맨드라고라라고.

헤헤, 난 또!

원래 이름은 맨드레이크란다. 지중해성 식물로 아주 오래 전부터 마취제, 진통제로 쓰여 왔지.

맨드라고라는 아픔을 잊게 하는 진통 효과가 있다.

1세기경 그리스

로마 시대 때는 죄인을 십자가에 못 박는 형벌이 있었어. 이 때 맨드라고라를 먹으면 아픔을 잊을 수 있었다는구나.

독당근, 디기탈리스, 벨라도나

이건 '독당근'이란다.

독당근 높이 1미터 정도. 당근의 잎과 비슷하다고 해서 생긴 이름이다. 두해살이풀로 2년째 되는 여름에 꽃을 피운 후 말라죽는다. 줄기에는 털이 없고 반점이 있다.

독당근은 독뱀도 도망갈 정도로 강한 독을 갖고 있어.

으악, 독당근이다. 도망가지.

또한 유럽 사람들은 이 꽃을 '악마의 꽃'으로 부르기도 했대.

악마의 꽃?

히히, 독당근을 넣고 주문을 외야지.

하지만 한편으로는 유럽에서 신경통, 천식, 기관지의 염증 치료제로도 많이 사용되어 '코늄' 이라 불리기도 하지.

신경통에 좋다면, 우리 할머니 갖다 드릴까?

아이고, 허리야.

와, 이 꽃 되게 예쁘다.

후후! 엄지야, 디기탈리스야.

꽃은 예쁘지만 별명은 '피 묻은 손가락' 또는 '죽은 자의 종' 이라 불린단다.

네? 별명이 너무 섬뜩해요.

디기탈리스 높이 1미터 정도. 7~8월에 예쁜 분홍색 꽃이 피는데 밑쪽에서 피어 올라간다. 유럽 서중부, 스칸디나비아 등지에 분포한다.

피마자와 스트로판투스

사이몽, 뭘 그리 열심히 냄새 맡고 있니?

응, 여기서 맛있는 냄새가 나!

쿵쿵

그건 피마자 라는 거다.

피마자? 저도 들어 봤어요.

피마자 높이 약 2미터. 8~9월에 홍색 꽃이 핀다. '아주까리'라고도 한다.

피마자 씨 '리신'이라는 독성이 강한 단백질이 들어 있다.

아카시아와 아까시나무

우리나라에서 흔히 아카시아로 불리는 나무는 로비니아속 니무로 북아메리카가 원산지이며, '아까시나무'로 부르는 것이 맞습니다. 원래의 아카시아는 아카시아속 나무로 전 세계에 500종이 알려져 있으며 400종은 오스트레일리아를 중심으로 열대, 온대 지역에 분포되어 있습니다. 높이 25미터 정도이며 가지에 가시가 박혀 있습니다.

아카시아

아까시나무

아카시아처럼 고약한 물질을 내보내는 나무로는 플라타너스와 신길나무가 있어.

앗! 애벌레다. 에잇, 내 독가스 맛을 보여 주마.

꿈틀 꿈틀

플라타너스

이게 무슨 냄새지? 앗, 갑자기 배도 아프고 뭘 잘못 먹었나?

헤헤, 쌤통이다.

플라타너스는 잎의 구멍을 통해서도 독가스를 내보내 근처의 나무들에게 위험을 알린다.

플라타너스 높이 40~50미터. 주로 가로수와 공원수로 쓰이며 열매가 부드러운 공 모양으로 달린다.

신갈나무 높이 약 30미터. 주로 가로수와 공원수로 쓰이며 목재로도 많이 쓰인다. 열매는 먹기도 한다.

115

스트로판투스는 독성을 가지고 있지만 꽃이 아름다워 관상용으로 재배되기도 해.

스트로판투스 아프리카, 마다가스카르, 인도, 말레이반도에 분포하며 60여 종이 있다.

꽃도 먹어 볼까?

쳇, 참 맛나게도 먹네.

아빠, 이 식물도 치료제로 쓰이나요?

물론이지. 스트로판틴 독성분을 심장의 기능을 강화시키는 강심제로 사용하고 있어.

밥 줘요, 밥! 저 쓰러져요.

그래, 알았다. 이 녀석아!

꽈당

박주가리와 애기똥풀

며칠 후

우리나라도 독식물이 많지. 너희 혹시 독초 구별법을 아니?

역시 우리나라가 최고야.

음, 이 상쾌한 공기…

모르죠.

맛있는 게 독식물이에요.

에잇! 그건 너만 아는 거잖아.

얼씨구, 날 때렸어!

콩

자자, 가장 쉬운 독초 구별법은 잎에 벌레 먹은 흔적이 있는지를 찾아보는 거야.

벌레는 독초를 먹으면 죽는 경우가 가끔 있다. 따라서 잎에 벌레 먹은 흔적이 있다면 사람에게 큰 해가 없다고 볼 수 있다.

또 식물의 잎이나 줄기를 따서 냄새를 맡아 보면 나물은 향긋한 냄새가 나지만, 독초는 대체로 역겨운 냄새가 나지.

으~, 냄새 지독해!

쿵 쿵

하지만 이런 건 확실한 방법이 아니므로 되도록 알려진 나물 외에는 먹지 않는 것이 좋아.

자~, 여기 박주가리가 있다.

박사님, 줄기를 꺾었더니 하얀 액체가 흘러 나오는데요?

이 액체 속에는 초식 동물이 먹었을 때 심장에 나쁜 영향을 주는 독성분이 들어 있어.

날 먹으면 심장이 터질 것 같을걸?

치사해서 안 먹는다, 안 먹어!

박주가리 7~8월에 옅은 자주색 꽃이 피고 열매는 표주박 같은 모양이다. 씨에 좁은 날개가 있고 끝에 흰색 털이 나 있다.

박주가리 열매

그런데 박주가리를 먹는 애벌레가 있단다. 바로 제주왕나비 애벌레야.

안녕? 내가 제주왕나비 애벌레야.

다른 곤충들과 달리 제주왕나비 애벌레는 박주가리 독을 먹어도 해를 입지 않아. 오히려 몸 속에 그대로 저장해 두었다가 자신을 보호하는 데 사용하지.

저장

다른 동물이 이 애벌레를 삼키면 박주가리를 먹는 것처럼 똑같은 고통을 느끼게 된대. 특이하지?

투퉤

어때?
나 예쁘지?

어머, 너무 예쁘다.

그건
애기똥풀!

이 줄기에
독성분이 들어
있단다.

독이 있다고?
그럼 맛있겠네!

닐름
날름

하지만 약초로도 쓰이는 식물이야.
벌레 물린 데, 부은 데 바르면 좋고
진통제로도 쓴단다. 그렇다고 너무
많이 먹으면 어지럼증, 두통,
매스꺼움 등의 증상이 나타날
수 있으니 조심해야 해.

에구에구,
왜 이리
어지럽지.

애기똥풀 5~8월에 노란색 꽃이 피며 줄기를 자르면
노란색의 액즙이 나오다. 전체에 흰색 털이 드문드문 나
있다.

쐐기풀 7~8월에 엷은 녹색의 꽃이 핀다. 독뱀에 물렸을 때 해독제로 쓰거나 당뇨병 치료제에 사용된다.

와, 사이몽, 정말 대단해!

이 정도는 약과야!

으쓱
으쓱

꿈지야, 이제 내려와도 돼.

헤헤, 완전히 끝난 거지?

사이몽 녀석, 힘만 세다니까.

이런! 미치광이풀 때문에 이렇게 날뛰었군.

네? 미치광이풀이요?

이 풀을 먹으면 미친 사람처럼 날뛰게 된다고 해서 붙여진 이름이야.

미치광이풀은 독이 너무 강해서 잘못 먹으면 눈이 멀게 되고 호흡은 느려지고 열이 나지. 게다가 불안하고 흥분되어 어찌할 줄을 모르게 돼.

갑자기 안 보여.

안절부절

이 멧돼지도 미치광이풀을 먹었나 보죠?

아마도. 미치광이풀을 먹을 수 있는 풀로 잘못 알고 먹은 모양이야.

멧돼지가 안됐어요.

좀 살살 때릴 걸 그랬나?

쌕 쌕

괜찮아. 네가 안 그랬으면 오히려 우리가 위험했을 텐데, 뭐.

미치광이풀 4~5월에 종 모양의 자주색 꽃이 핀다. 덩이뿌리는 말라리아의 치료제로, 잎은 천식, 발작의 약으로 쓰인다.

독버섯의 대표, 광대버섯

멧돼지에게 힘 좀 썼더니 배가 고프네.

너 또 이상한 것 먹는 거지?

아작

아작

이건 독버섯인 마귀광대버섯이야.

독버섯까지 먹다니….

마귀광대버섯
무스카린 등의 독성분은 파리를 유인하는 물질로 쓰인다.

독버섯은 대부분 색이 화려하고 선명하다던데, 맞아요?

그렇지 않아. 많은 사람이 그렇게 알고 있지만 실제로 대부분의 독버섯은 수수한 색을 띠고 있어. 색이 화려하고 선명한 것은 광대버섯류뿐이란다.

당신을 독버섯으로 체포한다.

전 독버섯 아닌데요.

크크크, 바보.

파리광대버섯

여름과 가을에 침엽수림, 활엽수림, 혼합림 밑의 땅 위에서 자란다.

옛날 사람들은 이 버섯을 밥알과 섞어 파리 잡는 데 이용했단다. 독성이 강하거든.

파리버섯 + 밥알 =

아빠, 이 버섯은요?

알광대버섯

독성분이 강해 몸의 여러 부위의 세포가 파괴되고 12시간이 지나면 심한 복통, 구토, 설사를 하게 된다. 자칫하면 혼수 상태에 빠지기도 한다.

독우산광대버섯 식용버섯인 흰우산버섯, 흰주름버섯과 비슷하게 생겨 잘못 먹는 경우가 있다.

그리고 손가락 크기만한 이 버섯은 독우산광대버섯이야. 이걸 먹으면 어른 서너 명이 죽을 수도 있어.

노란다발버섯
독청버섯과의 일종으로 봄과 가을에 걸쳐 말라 죽은 나무 그루터기나 숲 속 땅 위에서 모여 자란다.

그럼 식용버섯과 독버섯은 어떻게 구분해요?

현재 우리 나라에는 약 20종의 독버섯이 자라고 있어. 독버섯의 생김새나 색깔은 종류마다 다르기 때문에 겉모양으로는 먹을 수 있는 버섯과 구별하기가 쉽지 않아.

마귀광대버섯만 해도 식용버섯인 붉은점박이버섯과 매우 비슷하게 생겨서 잘못 알고 먹는 경우가 종종 있어. 그래서 죽는 사람도 있단다.

붉은점박이버섯 식용버섯으로 여름과 가을에 숲 속 땅 위에서 자란다.

독버섯을 먹었을 경우에는 어떻게 해야 해요?

안타깝게도 광대버섯류는 먹은 지 몇 시간이 지나야 중독 증세가 나타나.

이크!

주목과 옻나무

와, 높은 곳에 오르니까 가슴이 탁 트여요.

아이고, 힘들어.

어? 이 나무는 줄기 색깔이 붉네.

그 붉은 나무는 '주목' 이란다. 나뭇결이 고르고 단단해서 예부터 불상을 만들거나 고급 목재로 쓰였지.

주목 높이 20미터, 지름 2미터. 꽃은 4월에 피는데 암꽃과 수꽃이 다르다. 잎을 말려서 신장병, 구충제로 쓰고 열매는 날것으로 먹거나 기침약으로 쓴다.

가을에는 가지에 앵두보다 더 붉은 동그란 열매가 열리는데 맛이 아주 달콤해. 그런데 씨 속에는 독이 있어 먹으면 큰일나.

주목 열매

씨 속에 독이?

아, 아름다움 속에 감춰진 독이라!

그건 산짐승들이 씨를 씹어 먹는 것을 막기 위해서란다.

억센 이빨로 내 씨까지 다 씹어 먹어 버리면 난 어떻게 종족을 퍼뜨리니?

히히, 달콤한 걸 어떡해.

냠냠

나도 종족을 퍼뜨리기 위해 어쩔 수 없이 씨 속에 독을 넣은 거야. 알았니?

아이고, 배야.

데굴

데굴

옻이 올랐을 때 민간요법 중 하나가 백반에 물을 섞어 옻이 오른 부분에 바르는 것이다.

백반 + 물

또 따뜻한 물에 비누로 여러 번 씻어내고 알코올로 닦아 내도 가려움증은 많이 가라앉는단다. 그래도 너는 심하지 않아서 다행이구나.

쓰윽

괜찮을까요?

그럼. 대신 가려워도 긁지 말아라.

근데 아빠, 옻칠한 가구가 있다고 들었는데 맞아요?

맞아. 옻은 예부터 장롱이나 나무로 만든 공예품에 칠해 왔어. 옻을 칠하면 벌레가 잘 슬지 않고 햇볕에도 강해 오래 쓸 수 있거든.

튼튼한 서랍을 만들기 위해 옻칠로 마무리

옻칠한 공예품

서랍장

목기 그릇

옻나무

높이 7~20미터. 칠목이라고도 하며 붉나무, 참옻나무, 개옻나무가 있나. 우리나라에는 대부분 개옻나무이다. 위장병의 약재로 쓰이고 머리 염색약으로도 쓰인다. 우루시올 성분이 강력한 알레르기를 일으키고 간을 손상시킨다.

참, 옻나무는 음식에도 쓰인단다.

네? 옻나무를 음식에 넣는다고요?

닭에다가 옻나무와 찹쌀을 넣어서 푹 끓이면 '옻닭'이 돼. 이 음식은 변비나 복통, 설사 등 소화기 계통의 질환에 아주 좋단다.

은행 열매 독성분이 있어서 날것으로 먹거나 많은 양을 먹게 되면 중독을 일으킨다.

메밀 여름철 국수로 삶아 즐겨 먹지만, 날것으로 먹으면 좋지 않다.

산에서 갓 따 온 고사리에는 '브라켄독신'이라는 독성분이 들어 있다. 이 성분은 고사리를 삶고 물에 우려내고 말리는 과정에서 대부분 사라져 먹을 수 있게 된다.

브라켄 X 독신

브라켄독신

덜 익은 토마토와 가지도 먹으면 아린 맛을 느끼게 되는데 이것도 작은 양이지만 독소가 들어 있기 때문이란다.

웩

하지만 이런 독들은 가공하거나 요리를 하면 없어지게 돼. 또 양이 작아 아예 독성을 나타 내지 않기 때문에 우리가 먹을 수 있는 거란다.

아하, 그렇구나!

무당개구리와 왕두꺼비

아빠, 저기 개구리가 있어요.

화살촉독개구리처럼 몸색깔이 화려한 걸 보니 저 개구리도 분명히 독을 품고 있을 거야.

하하, 꼼지가 제법이구나. 이왕 여기 온 김에 우리나라에서 흔히 볼 수 있는 독 생물에 대해서도 알아보자.

저 개구리는 독이 있는 무당개구리야. 비단개구리라고도 불리지.

무당개구리 몸길이 4~5센티미터. 몸빛깔이 화려하며 피부에서 흰색의 독액을 분비한다.

재들은 왜 자꾸 나를 보고 있지?

무당개구리는 적이 나타나면 앞다리를 쳐들고 빌랑 드러누워 배의 붉은색으로 경계를 한다.

앗, 까치살모사다.

에구머니나, 오늘은 나를 노리는 적들이 참 많네! 경계해야지.

까치산모사, 쇠살모사, 살모사는 우리나라에 사는 독뱀들이란다.

와, 무시 무시하다.

까치살모사

쇠살모사

살모사

저리 가! 난 맛도 없을 뿐더러 독만 잔뜩 갖고 있다고.

호호호, 고놈 성질 꽤 고약한걸.

그래, 가까이 와라!

무당개구리는 위협을 받으면 뿌연 분비물을 내보내. 이것에 닿은 적은 꼼짝도 못 하지.

앗, 내 눈! 눈이 안 보여!

그러길래 왜 나를 괴롭히니?

인마, 거기 서지 못해!

햐, 귀여운 두꺼비다!

독뱀이 무당개구리에게 제대로 당했네. 하하.

그런데 두꺼비에겐 좀 미안한 일이지만 두꺼비의 독은 옛날부터 심장을 강화하는 강심제로 이용되어 왔고 지금도 한약의 원료로 쓰이고 있어.

두꺼비 몸길이 6~12센티미터. 전 세계에 250여 종이 산다. 주로 습한 곳에서 생활하는데 알을 낳을 때는 하천이나 늪으로 이동한다.

그리고 중앙아메리카와 남아메리카에는 두꺼비 중 가장 큰 왕두꺼비가 살고 있대. 몸길이가 최대 25센티미터인데다가 독성도 매우 강하지.

위협을 받으면 적을 향해 독을 1미터나 내뿜어. 독에 맞은 적은 심한 고통을 받거나 죽기도 해. 그러나 왕두꺼비는 해충을 잡아 먹는 이로운 동물이란다.

것 봐. 그리고 난 나보다 큰 동물도 이길 수 있어.

음, 먹음직스런 놈이군.

흥! 이거나 받아랏!

으으~, 잘못 건드렸다!

깨갱

노래기, 지네, 침노린재

나한테도 저렇게 잘하면 좋잖아.

이번엔 뭘 줄까?

정성이 뻗쳤군. 못 봐 주겠네.

흥~

꼼지야, 샘나? 그럼 노래기라도 줄까?

이거 봐.

노래기는 몸이 단단한 석회질 껍질로 싸여 있어 딱딱하지.

노래기 몸길이 0.2~2.8 센티미터. 간혹 10센티미터가 넘는 것도 있다. 주로 바닥에 깔린 나뭇잎과 썩은 식물을 먹기 때문에 토양을 기름지게 하는 역할을 하지만 고약한 냄새를 풍겨 불쾌감을 준다.

근데 다리가
무척 많네요.

네 다리 구경 좀
하려고 불렀다.

누가 나를
불렀어? 왜?

노래기 다리도
지네만큼이나
많아.

박사님, 갑자기 생각
난 건데요, 노래기랑
지네랑 달리기하면
누가 이길까요?

헉헉, 왜 이런
시합을 해야 하는 거지?

조금만 더 기면
내가 1등이다.

짜

안

혁, 두꺼비다.
도망가자.

어디를 가!

다가오지 마.
안 그러면 내 독발톱
맛을 보여 줄 테다.

팍

지네 몸길이 0.5~15센티미터. 전 세계에 3천여 종이 있으며 온대와 열대 지역의 축축한 흙이나 나뭇잎 속에 산다. 밤에 활동하며 작은 곤충, 거미 등을 잡아먹는다.

내 독맛이 어떠냐!

켁

지네는 보통 한 마디에 1쌍의 다리를 가지고 있는데 마디 수는 종에 따라 다르다. 15쌍에서 많게는 170쌍의 다리를 가지고 있는 것도 있다.

사람들도 가끔 지네에게 물리는 경우가 있어.

우리 섬에 사는 지네의 독은 정말 무서워. 그치?

그러게. 얕잡아 볼 게 아니라니까.

지네는 종류에 따라 독성이 강한 것들이 있는데, 솔로몬제도의 원주민들은 고통을 잊기 위해 끓는 물에 손을 담글 정도래.

보통 지네에게 물렸을 때는 물에 탄 암모니아수를 바르면 통증을 빨리 없앨 수 있어.

암모니아수

들었지? 그래도 저리 안 가?

음, 지네 맛이 좀 낫군.

덥석

저기 풀잎에 노린재가 있구나.

노린재류는 적에게 공격을 당하거나 자극을 받으면 냄새샘에서 고약한 노린내를 뿜어낸다.

노린재 중에서 침노린재는 살아 있는 곤충을 잡아먹는 포식 곤충으로 잘 알려진 사냥꾼이야.

침노린재 몸길이 0.3~3센티미터. 건조하고 습한 곳에서 모두 살며 벼포기의 윗부분에서 나방이나 나비의 애벌레를 찾아 먹는다.

히히, 나한테 걸리면 어떤 곤충도 빠져 나가기 힘들걸.

으윽, 도저히 빠져 나갈 수가 없어.

침노린재의 다리에는 많은 털이 나 있고 가시가 있다. 이 털에서 나오는 끈끈한 액으로 먹이를 움켜쥐거나 강한 가시로 다른 곤충을 거머쥐고 꼼짝 못하게 한다.

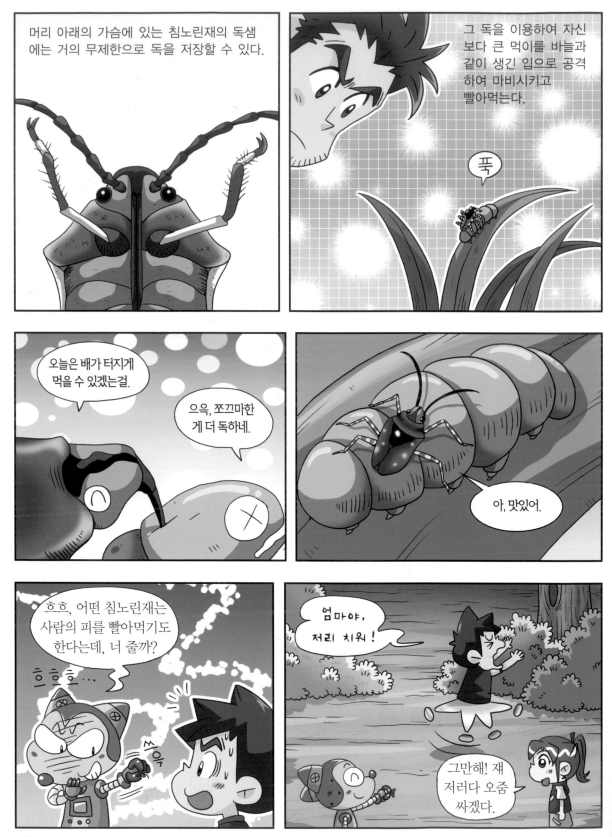

장수말벌과 독나방

장수말벌 몸길이 수컷 4센티미터, 암컷 2.5센티미터. 한국산 벌 중에서 가장 큰 종류에 속하며 육식성 사냥벌이다.

Why?

과학을 잘하고 싶다면, 우리 주변에서 볼 수 있는 모든 것에 '왜?' 라는 질문을 던져 보세요.
과학의 발전은 아주 작은 호기심에서 출발합니다.

Why? 우주
감수 조경철
(이학박사)

Why? 바다
감수 한상준
(한국해양연구원 원장)

Why? 날씨
감수 안명환
(전 기상청장)

Why? 곤충
감수 최임순
(이학박사)

Why? 똥
감수 박완철
(한국과학기술연구원 책임연구원)

Why? 물
감수 신항식
(한국과학기술연구원 건설환경공학과 교수)

Why? 로봇
감수 오준호
(한국과학기술원 기계공학과 교수)

Why? 외계인과 UFO
감수 맹성렬
(한국유에프오연구협회 연구부장)

Why? 자연재해
감수 이윤수
(한국지질자원연구원 선임연구원)

Why? 질병
감수 지제근
(서울대학교 의과대학 명예교수)

Why? 물리
감수 김제완
(과학문화진흥회 회장)

Why? 인체
감수 박용하
(한국생명공학연구원 책임연구원)

Why? 컴퓨터
감수 박순백
(컴퓨터 칼럼니스트)

Why? 식물
감수 김태정
(한국야생화연구소 소장)

Why? 동물
감수 최임순
(이학박사)

Why? 지구
감수 조경철
(이학박사)

Why? 환경
감수 최열
(전 환경운동연합 사무총장)

Why? 생명과학
감수 박용하
(한국생명공학연구원 책임연구원)

Why? 핵과 에너지
감수 김정흠
(전 고려대학교 명예교수)

Why? 사춘기와 성
감수 이혜성
(한국청소년상담원 원장)

Why? 공룡
감수 이융남
(한국지질자원연구원 선임연구원)

Why? 화학
감수 김건
(고려대학교 이과대학장)

Why? 발명·발견
감수 왕연중
(한국발명진흥회 특허관리지원팀장)

Why? 남극·북극
감수 김예동
(해양연구원 부설 극지연구소 소장)

Why? 화석
감수 이융남
(한국지질자원연구원 선임연구원)

Why? 독 있는 동식물
감수 심재한
(한국 양서·파충류 생태연구소 소장)

Why? 동굴
감수 우경식
(강원대학교 지질학과 교수)

Why? 갯벌
감수 임현식
(목포대학교 갯벌연구소 소장)

Why? 로켓과 탐사선
감수 채연석
(한국항공우주연구원 연구위원)

Why? 교통수단
감수 송성수
(과학기술정책연구원 연구위원)